꽃꿈을 꾸다

b판시선 025

이권 시집

꽃꿈을 꾸다

도서출판 b

지리멸렬하는 시간을 바라본다.
지난했던 풍경들이 다시 되돌아와
엉뚱한 것만 옮겨 적었다고
따진다면 속수무책이다.
나의 발걸음을 감시하고 있는
울 밖의 시선이 하 수상하다.
나의 꽃꿈을 검열하고 있는 울안의
얼굴 없는 이의 수심 또한 크다.

2018년 초여름 영종도에서
이권

제1부

新대동여지도

60년 전 어미가 세운 마을
맨 처음 붉은 심장을 돌리는 발전소가 생겨났어
하루 종일 산소를 생산해내는 공장도 세웠지

둥근 해와 보름달을 훔쳐다
마을 어귀에 걸어놨어
가끔 바람을 끌어들이고 비도 불러들였지

믿음이 약한 변방이라
절을 세우고 부처를 모셔왔어
그러나 부처의 자비는 오래 머물지 않았어

GPS도 뜨지 않는 대동여지도에도
표시되지 않은 마을
점점 난청이 되어갔어

모든 길은 발끝에 닿아 있지만

발걸음은 음지식물이 자라는
응달쪽으로만 넝쿨을 뻗어가고 있어

비가 내리고
검은 새가 한 끼 식량을 물어오는 저녁
흐린 유리창에 그려 보는
나의 신대동여지도

주객전도

가정오거리 뉴타운 재개발 지역
사람들이 집을 버리고 마을을 떠나자

골목은 길을 버리고
하늘채아파트로 들어가 엘리베이터가 되었고

마당은 화단을 버리고
하늘로 올라가 옥상이 되었다

아이비와 스킨답서스가
집 안으로 들어와 넝쿨을 뻗어갔다

아궁이는 연탄집게를 버리고
주방으로 들어와 가스레인지가 되었고

수도펌프는 마중물을 버리고
벽을 타고 올라와 싱크대 수도꼭지가 되었다

강아지와 고양이가 방 안으로 들어오자
아빠와 엄마가 집 밖으로 나가
돌아오지를 않았다

아빠는 아예 술집에 발목을 심었고
엄마는 카바레에 뿌리를 내렸다

다 마당과 골목을
하늘채아파트에 빼앗긴 탓이다

검은 새

이른 봄날 차이나타운 북경반점에서
자장면을 먹다 말고
긴급 속보를 전하는 CNN 뉴스를 봐요

TV 속 한 떼의 검은 새들이
락까의 하늘을 돌며 군무를 추고 있어요

찢어지는 락까의 하늘
검은 새에서 산란한 알들이 새까맣게
투하되고 있어요
붉은 꽃이 피어나고 뭉게구름이 일어나요

사람들이 자장면을 먹다 말고 검은 새의
묘기에 박수를 치며 V자를 그려요

맥아더 동상 앞 라디오를 듣던 노인들이
지팡이를 들고 환호해요

더러는 맥아더에게
거수경례를 붙이며 충성을 맹세해요

검은 새의 묘기에
박수를 치고 환호를 보낼 때마다
시리아 락까에서는
죄 없는 아이와 엄마들이 죽어가요

핏빛으로 물드는 석양
누가 저 검은 새의 심장을 명중시킬 수 있는
새총 하나 갖다줄 수 없나요

블랙 프라이데이

11월 마지막 금요일 일 년에 단 하루
Made in USA를
헐값에 구매할 수 있는 블랙 프라이데이

모든 눈과 귀들이 산을 넘고 바다 건너
아마존과 이베이*로 몰려들고 있다

맨 먼저 미끼 상품으로 내건
금발 미녀의 속옷과 이월상품으로 넘어온
남성용 덕다운 점퍼가
반의 반값으로 팔려 나갔다

석남동 반지하에 사는
어느 소녀가 해외직구로 큰곰자리
북두칠성을 구매했다는 소식이 들려왔다

십정동 열우물에 사는 소년은

지구를 탈출하기 위해 금성으로 가는
인공위성을 주문했다고 한다

수도설비 공사하시는 이웃집 김씨 아저씨
몽키스패너와 파이프렌치는 미제가
최고라며 새로 한 벌을 장만했다고 한다

모두들 덤핑시키고 온갖 돈을 수집하고 있는
양키들의 블랙 프라이데이 오늘
많은 사람들이 미제국주의 호갱*이 되었다

* 미국의 다국적 인터넷 쇼핑몰.
* 어수룩하여 이용하기 좋은 손님을 지칭하는 신조어.

19

부평동 산 57번지

또 한 사람이 이삿짐도 없이
이사를 오고 있다 가난하게 살았던 사람은
죽어서도 가난하게 산다

학생부군과 현비유인이 대부분인 묘지
몇 년 전 죽은 내 친구 지웅이가 살고 있다

소소리바람이 가가호호
꽃씨를 배달해 주는 봄밤이면

죽기 전에 살았던 십정동 집 찾아가
잠자는 아이들 이불도 덮어주고 왔을 것이다

아내의 지친 얼굴도 쓰다듬어 보고
낯익은 술집 골목도
몇 번이나 기웃거렸을 친구

그가 마을을 다녀갔다는 소문이 들리는

날이면 늘 새로운 사람이

부평동 산 57번지로 이사를 왔다

새우깡

토요일 오후 월미도 선착장
영종도행 세종호가
뱃고동을 울리며 떠나고 있다

배 주위를 비행하는 갈매기 떼
사람들이 갈매기를 향해
새우깡을 던져주고 있다

낮은 자세로 날아와 새우깡을 낚아채는
오래된 갈매기의 식습관이다

월미도 앞바다 갈매기는
인천시민이 사육하는 바닷새

선창가로 우리를 불러낸 것은
저 괭이갈매기들이었을지도 모르는 일

새우깡 매출 8할은 인천 앞바다
갈매기들이 올리고 있고

나머지 2할은 밤마다 탬버린을 흔드는
인천 노래방 도우미들이 올리고 있다

옐로우하우스

선달그믐 옐로우하우스*
오늘 밤 거래될 여자들이 집집마다
내걸리고 있다

사랑 없는 사랑을 마중 나온 15호집 아가씨
서성이는 사내를 끌고
가게 안으로 들어서고 있다

오늘처럼 함박눈 내리고 가로등이 눈을 감은
죽은 밤이면 그녀의 자궁에서
이루어진 거래는 모두 증거인멸된다

사내가 그녀의 몸에서 꽃잠을 자다
빠져 나간 새벽
새로운 꽃으로 피어난 15호집 아가씨

대설주의보 내린 거리를

하얀 눈사람이 되어 걸어가고 있다

미아리 텍사스

여자들이 꽃단장을 하여도
밤새 옷을 벗어도 가난이 떠나지 않는 동네
사내들의 아랫도리만
염치없이 부풀어 오르는 곳

밤새 일어났던 사건 사고는 삼재 깃든
골목길의 비루한 일진 때문
우울을 껴입고 사는 그녀의 얼굴에
새로운 기미가 돋아나는 곳

붉은수염독나방이 하나둘 모여드는 밤이면
스스로 눈과 귀를 막고
섬이 되어버리는 미아리 텍사스

신神마저 놓아버린 진퇴양난의
마지막 꽃놀이패를 쥐고 있다

내가 나를 베다

오늘 아침 A4용지를 만지다
손가락을 베었다

하얀 종이 속에 숨겨져 있던
칼날을 미처 알아보지 못한 것이다

누구의 지령이었는지
순간의 역습이었다

쓰라려 오던 손가락
방울지어 떨어지던 피

지난밤 떨어진
홍매화 꽃잎처럼 붉었다

오랜만에 내 몸에
붉은 꽃이 다녀간 날이다

구월동 로데오거리

붉은 입술과 노란 머리와 검은 구두가
둥둥 떠다니는 구월동 로데오거리

건물 4층 꼭대기엔
붉은 십자가를 내건 남인천교회가 있고
3층에 황실마사지 숍이 있다

2층에 24시간 꽃을 피우는 꽃다방이 있고
1층엔 365일 살생이 일어나는
남해수산 횟집이 있다

지하 1층 황진이 노래주점
아랫도리 맨몸인 여자가 탬버린을
흔들며 춤을 추는 곳

남인천교회 하느님의 은총으로
황실마사지 숍과 꽃다방과

황진이 노래주점이 밤새 성업 중이다

침몰하는 저녁

저물녘 동인천 양키시장 모퉁이
맨발에 슬리퍼를 신은 여자가 울고 있다

그녀의 몸이 얼마나
허술하게 봉인되어 있는지
입과 코에서 연신 울음이 새어나온다

그녀의 울음에
훌쩍훌쩍 파도를 타고 있는 골목
점점 침몰해가고 있다

가끔씩 슬픔을 길어 올려야
또 다른 삶을 마중 나갈 수 있는 것

한참을 울던 여자가 골목 끝을 짚고
일어서고 있다 골목 안의 울음을
주섬주섬 수습하며 돌아가고 있다

검게 그을린 하늘 한바탕
소낙비라도 퍼부었으면 좋겠다

똥마당 가는 길

인천역 지나 북성포구 똥마당* 가는 길
흙먼지 날리는 인천항 8부두
앞에서 오래된 골목의 속살을 들여다본다

빨랫줄에 아무렇게나 걸려 있는
기름때 찌든 작업복
색 바랜 바람벽 먼지 낀 유리창

죽은 맨드라미를 가으내
키우고 있는 플라스틱 화분
그 위에 하얗게 핀 담배꽁초

썩은 바다에 복무한 죄로 똥마당에
하루 종일 인질로 잡혀 있는 괭이갈매기

저녁노을 지는 똥마당 낚시꾼의
낚싯바늘에 하루 종일 코가 꿰어 있다

건너편 선창산업 목재공장 노동자들
아직은 주간반 근무 교대 전이다

들병장수

어디론가 떠나 외로운 섬이
되고 싶을 때 찾아오는 연안부두

먼 바다로 달아나려는 발걸음
선창가에 묶어 두고
파도소리 끌고 오는 고깃배를 바라본다

들병장수*였던 할머니가
외간남자들에게 生의 밑장을 빼주며
바다의 신민臣民이 되었던 곳

할머니 치맛자락을 끌고 먼 바다로
달아났던 파도소리 점점
검은 소리를 내며 어두워지고 있다

저녁 바다를 끌고 오다 바라본 술집 유리창
꽃단장한 앳된 들병장수들이

바비인형처럼 진열되어 있다

* 병에다 술을 담아 가지고 다니면서 술장사를 하는 사람.

죽음이 예전 같지 않다

이웃집 영희 할머니가 돌아가셨다
조등弔燈 하나 내걸리지 않는 골목

저승사자에게
사자使者밥도 대접하지 못하고
신발도 신지 못한 채 장례식장으로 실려 갔다

슬픔을 길어 올리던
곡哭소리가 사라진 영안실
간간이 웃음소리가 새어나온다

할머니 장례는 화장장과 공원묘지를
한데 묶은 패키지 상품으로 결정되었다

만장 한 장 따르지 않는 장례행렬
92년간의 할머니 생이
단 3일 만에 지워졌다

죽음이 예전 같지 않고 많이 시들해졌다

화엄의 꽃

영등포 타임스퀘어 뒷골목 밤만 되면
집집마다 붉은 꽃들이 피어나요
상호도 없이 예명으로 꽃을 내건 집

이곳에서의 소문은 모두가 지나가는
바람이에요 연대병력의 사내들이
지나갔다는 꽃들의 속설은 묻지 않기로 해요

꽃대궁이 흔들릴 때마다 새로운 애인이
생겨나요 잠시 후 꽃잎 속에서
걸어 나온 사내는
옛 애인이 되어 골목길로 추방당해요

밤에 피는 꽃이라고 향기 없는 꽃이라고
같은 꽃끼리 너무
미워하거나 슬퍼하지 마세요

꽃의 이동경로와 꽃잎에 깃든 꽃말이
다를 뿐 다 우리의 누이거나 딸들인걸요

어쩌면 이 세상 가장 낮은 곳으로
내려온 화엄의 꽃
관세음보살일지도 모르는 일이지요

제2부

또다시 봄

또다시 봄이 왔지만 바다로 간
아이들은 돌아오지 않았다

바람이 되어 돌아오거나
꽃이 되어 돌아왔다

바람이 된 아이야 꽃이 된 아이야
수억만 년이 지나도
잊히지 않을 아이야

너희를 구하러 광화문광장으로
모여든 수백만의 사람들

진도 앞바다의
바닷물을 죄다 퍼 올리는 중이다

웃음의 정가

감사합니다. 고객님!
좋은 하루 되십시오.

오늘 사용할 인사말과 웃음을
밤새 연습해 왔다는 소담이 엄마

점장은 사무적인 인사말이라고
향기 없는 웃음이라고 지적했다

해쭉 웃는 가오리는 12,500원에
활짝 핀 봄동은 3,200원에 팔렸다

소담이 엄마의 웃음은

가오리 웃음보다
반값이나 할인된 통 큰 가격
시급 6,470원에 팔렸다

그날 이후

광화문광장 한 아버지가 세월호를
이야기하며 운다 옆에 있던
엄마가 따라 운다 모두 따라 운다

대통령이 뉴스특보로 대국민담화문을
발표하고 있다 나라 살림이 어려우니
지난봄의 세월호는 이제 그만 잊자고 한다
옆에 있던 사내가 그녀의 말을 복창한다

십상시들이 일제히 사내의 말을
복창한다 가스통 할배가
성조기를 흔들며 십상시의 말을 복창한다

엄마부대가 태극기를 흔들며 할배의 말을
복창한다 폭식 투쟁하던 일베들이
엄마부대의 말을 소리 높여 복창한다

촛불만 보면 경기驚氣하는 골목으로
검은 군홧발 소리가 들려오고 있다
늙은 아버지가
관제데모하고 일당 받으러 가는 길이다

아제아제 바라아제

햇빛 환한 봄날 정수사 느티나무에
기대어 비구니 스님이
올리는 사시예불 소리를 듣는다

산 목련에 쌓이는 쑥국새
울음소리 한 권의 경전을 엮고 있다

함허동천에 떠있는 하얀 낮달
봄 햇살을 건너가는 바람소리

아제아제 바라아제 바라승아제 모지사바하*
내가 죽고 네가 살아나기 좋은 봄날

지난봄 바다로 간 아이들은
끝내 돌아오지 못했다

일주문 밖을 나서는

스님의 바랑에 노란리본이 달려 있다

모든 경전을 불태워버리다

2014년 4월 16일 08시 58분
세월호가 진도 앞바다에서 침몰하고 있었다
아이들이 배 안에 사람이 있다고
제발 살려달라고 연신 카톡을 보내왔다

사람들은 두 손을 모은 채
모두 무사히 돌아오게 해달라고 하느님에게
부처님과 천지신명께 간절히 기도를 올리며 애원했다

그러나 신들은 우리의 간절한
소원을 외면했고
아이들은 끝내 돌아오지 못했다

2017년 4월 4일 이른 아침
시리아 칸셰이쿤에서 정부군의 독가스 공격으로
어린아이들이 무참히 살해되었다는
소식이 긴급속보로 전해졌다

한 아버지가 독가스 참사로 숨진 생후
9개월 된 쌍둥이 아기를 안고 울고 있었다

하느님과 부처님과 천지신명이 계시다면
일어나서는 안 되는 일이 또 일어난 것이다
신의 귀싸대기라도 실컷 후려쳐 주고 싶다

진도 앞바다 세월호에서 시리아 칸셰이쿤 마을에서
아이들을 외면한 신들을
더 이상 섬길 필요가 없게 되었다

오늘 그동안 마음속에 고이 모셔온 경전들을
모두 불태워버렸고 내 안에 깃들어 살던
모든 신들을 내쫓아버렸다

그때 그 사람

1987년 6월 민주화항쟁이 있던 해 나는 서울역에서 청기와 적기를 흔들며 열차를 입환하는 역무원으로 근무했다 호헌철폐와 독재타도를 외치는 시위대의 함성소리 경찰이 쏘는 최루가스와 자동차 경적소리가 온 도시를 뒤덮고 있었다

입환 작업을 마치고 사무실에서 잠시 쉬고 있을 때 백골단에 쫓기던 여학생이 매캐한 최루가스를 끌고 사무실로 숨어 들어왔다 눈이 따갑다며 연신 눈물과 콧물을 흘리던 학생 한쪽 발이 맨발이었다 경찰에 쫓기다 신발 한 짝을 잃었다고 했다 내가 준 헌 작업화 신고 선로에서 돌멩이 몇 개 호주머니에 넣으며 목례를 하고 떠난 학생

수십 년이 지난 지금 제주 강정마을 구럼비에서 철도파업 현장에서 백남기 농민 추모집회에서 성주 소성리 사드반입 반대집회에서 여전히 검은 권력과 맞장을 뜨고 있을 것만 같은 학생 이제 쉰은 훨씬 넘었을 나이 수백만 촛불이 꽃바다를 이룬 광화문광장 방금 전 아침이슬을 부르며 내게서 촛불을

붙여간 여인 30년 전 그 여학생을 꼭 닮았다

어떤 누명

내 나이 열아홉 살 때 큰집 농사지으며 살 때 서울에 살던 큰어머니가 내려와 며칠 동안 같이 머문 적이 있다 큰어머니 쌈짓돈 3,000원이 없어졌다며 온 집안이 발칵 뒤집히는 소동이 일어났다 집안 식구 모두 나를 의심했다 열일곱 살 때 아버지 돈을 훔쳐 무작정 상경을 한 전과가 있었기 때문이다 솔직히 말하면 용서해 주겠다고 그 돈 어디에 썼냐며 아버지가 나를 추궁했지만 돈을 훔치지 않은 나는 그전의 이력 때문에 아무리 항변을 해도 이미 도둑놈이 되어 있었다

오늘 뉴스에 나온 저 사람 살인죄 누명을 쓰고 한 달도 아니고 일 년도 아닌 십 년간 옥살이를 하다 진범이 잡혀 무죄로 풀려났다고 한다 무자비한 폭력과 협박으로 허위자백을 강요해 살인자가 되었다는 것이다 수십 년 전 어떤 이는 모진 고문과 조작으로 모반謀反의 누명을 쓴 채 간첩이 되어 사형집행을 받고 죽어갔다고 한다 돈 3,000원 도둑 누명을 쓴 것도 억울한데 누구는 살인죄로 십 년간 옥살이를 하고 누구는 간첩으로 몰리어 생명까지 잃었으니 그 원통함이

오죽 했겠는가 다가오는 세상에는 가진 것 없는 가난한 노동자
도 법에 무지인 농투성이도 더는 억울한 누명을 쓰고 고통받는
이가 없기를 모두에게 공명정대한 새날이 오기를 깨금발 딛고
마중 나가본다

아빠의 계급장

아빠가 새벽 출근길을 나서고 있어요
예비역 병장이 전부인 아빠의 계급

붉은 띠 동여매고
기차를 멈추게 했다는 죄로
아빠는 그나마 있었던 계급까지 강등되었어요

계급이 떨어진 아빠는 입맛이 없다며
저녁도 안 드시고 먼 산을 바라보며
담배만 피우고 있었지요

아빠의 주름살이 계급장을 높이려다 생긴
싸움의 흉터라는 것도 그때 알았어요

밤마다 배롱나무 멱살을 붙잡고
빗장걸이와 뒤치기를 연습하는 아빠

오늘은 꼭 이기셔서
빼앗긴 계급을 되찾아오세요

아빠의 계급이 나의 밥줄이 되고
우리 모두의 생명 줄이니까요 아빠!

오늘의 뉴스

이웃집 재봉이 큰딸 영희 돌잔치가
계산동 천년뷔페에서
오후 두 시에 있다는 것과

동식이네 진돗개가 밤새
강아지 다섯 마리를 낳았다는 소식과

은하수다방 김 양의 팬티가
장미꽃이 그려진 붉은
망사 팬티라는 소문이 나돌았다

봄소식 전하는 기상캐스터의
화사한 발목 아래로

유성기업 해고노동자가
투신자살했다는 뉴스가
한 줄 자막으로 빠르게 지나갔다

거룩한 짐승

나무늘보처럼 순하고 종달새처럼
푸른 하늘을 날려는 꿈 많은 짐승

웃을 때 온몸이 꽃밭인 짐승
가끔 부처의 자비가
머물기도 하는 거룩한 짐승

사자보다 사납고 여우처럼 교활하고
능구렁이보다 더 징그러운 짐승

온몸이 무기인 짐승
가끔 제 몸을 인질로 잡고
세상과 맞장을 뜨려는 매우 위험한 짐승

평생 지은 죄 기도 몇 번으로 퉁치고
극락과 천당을 돈으로
매수하려는 파렴치한 짐승

저세상 갈 때 모든 것 놓아두고
혼자서만 가야 하는 외롭고도 쓸쓸한 짐승

꽃뱀

용궁사 오르는 산길
앞을 가로질러 가던 꽃뱀과 마주쳤다

깜짝 놀라 뒤로 한 걸음 물러났다
온몸 가득 돋아나는 소름

돌을 들어 꽃뱀을
죽일까 하다 그만두었다

어릴 적 붉은 꽃을 피우다 꽃무덤으로 간
누이동생이 생각났기 때문이다

꽃뱀과 나의 가슴에 어느
몹쓸 비문秘文을 새겨 넣었기에

서로를 바라보는 것만으로도
푸른 살기와 저주를 느끼는 걸까

꽃뱀의 검은 혀와 나의 붉은 혀가 쓰는

아담과 이브가 쓰는

뱀과 나의 피의 연대기가 궁금하다

新스마트 민족^{民族}

오전 10시 동인천역에서 출발한
용산행 급행전철 안
모두 스마트폰 터치에 열중이다

돈황 천불동으로 육조단경을 구하러 가는지
스님 한 분 스마트폰으로 우루무치와
타클라마칸사막 넘어가는 길을 검색하고 있다

아마존과 이베이 G마켓과 11번가
티몬과 쿠팡을 오가는
고독한 순례자 레옹족*이 출몰할 시간

소녀경 탐독하며 야동의 신전을 찾아
성지순례를 떠나는
야동족도 곳곳에 숨어 있을 것이다

시도 때도 없이 우주를 침략한 외계인을

무찌르고 있는 게임족
여전사의 눈이 시뻘겋게 충혈되어 있다

야타족과 오렌지족이 멸족되고 출현한
신스마트 민족이 점령한 전철 안

각기 다른 족보와 아이템으로 무장한
부족의 무리들이 철옹성을 구축한 채
서로를 경계 중에 있다

* 최신 유행에 민감하게 반응하며 자신을 가꾸는 중·장년층의 남성.

스팸 메일

'문자가 왔어요' 누군가 창문을 두드리고 있다
반라의 여인이 오빠 하며 나를 부르고 있다
여자의 알몸을 열어보는 것은 매우 위험한 일
신원미상의 여자의 몸을 열어보았다가
바이러스에 감염되어 낭패를 당한 적이 있다

V3로 치료해도 알약을 먹어봐도 소용이 없었다
모든 저장장치와 기억장치를 지우고서야
간신히 나를 복구할 수 있었다

또다시 나의 동향을 염탐하러 온 스팸의 여자
비아그라를 팔러온 사내도 있고
즉석 만남 섹파를 원한다는 여자도 있다
게임머니 두둑이 챙겨주겠다며
해외원정 도박판으로 나를 유인하는 후레자식도 있다

몸 곳곳에 악성코드를 심어놓고 빤한 얼굴로

나를 들여다보고 있을 스팸의 여자
내 아랫도리 비밀까지 훔쳐갔을 것이다
그동안 나의 아랫도리가 저지른 죗값이 크다

냄새 먹는 하마

우리 집은 냄새의 천국 온갖 것들이 발효되고 있지
어제 청기와장례식장에서 묻혀온 국화향기는
너무 슬퍼 눈물이 날 뻔했어

오늘 아내가 용화사 관음전에서 끌고 온 향내에
굴림목탁 소리가 또르르 굴러 나왔어

하루 종일 땡볕에서 보도블록을 깔다
돌아온 내 몸에서 곰삭은
담배냄새와 땀에 전 고린내가 났어

아내가 냄새를 잡는다며 집 안에 냄새 먹는 하마를
들여놓았지만 하마는 옥시 가습기 사고로
이미 질식사 해버린 뒤였어

옆집 청국장 끓이는 냄새가 슬금슬금
담장을 넘어 넝쿨을 뻗어오고 있어

부패하기 좋은 온도와 습도를 지닌 나는

오늘도 검은 꽃으로 발효 중이야

모든 꽃들이 나를 버릴 때까지

제3부

꽃꿈을 꾸다

봄날 오후 월미산 벚꽃 그늘 밑을
한 소녀가 걸어오고 있다
낯이 익은 얼굴이다

어젯밤 꿈속 꽃그늘 아래에서
한 소녀에게 사랑을 고백했었다

사랑은 함부로 하는 게 아니라며
첫사랑을 죽여야
또 다른 사랑을 할 수 있다며

꿈속에서 나를 목 졸라 죽인 소녀
꿈결처럼 내 곁을 지나가고 있다

꿈 밖으로 걸어 나온
소녀의 정체가 궁금하다

아버지의 음계

30년 동안 낮은음자리표로 머무르시던
아버지가 정년퇴직했다
아침마다 울리던 알람소리가 사라졌다

아버지를 끌고 다니던 구두
신발장 속으로 들어가 더 이상 나오지를 않았다
넥타이는 아예 옷장에 목을 매달아 버렸다

아버지가 자주 찾아가는 곳은
흰 바람 불어오는 자작나무숲
아버지는 한 그루 자작나무가 되어갔다

하루해가 또 어제처럼 지고
아버지가 검은 건반을 누르며 돌아가는 곳은
타악기 소리 끊이지 않는 어머니 집

아버지는 어머니가 발 씻으라면 발 씻고

밥 먹으라면 밥 먹고
슈퍼 가서 미원 사오라 하면 사온다

도돌이표만 찍다 돌아오는 아버지 발걸음에
높은음자리표 하나 달아주고 싶다

나비의 꿈

한 마리 나비가 되어 어디론가
훨훨 떠나버리고 싶은 봄날
나비축제가 열린다는 함평행 기차를 탄다

함평역에 내려 많은 사람들이
허물을 벗고 간 여인숙에
그동안 끌고 온 나를 부려 놓는다

복도 끝 마지막 방이 오늘 밤
나의 묘지 이곳에 내 혼백을 눕힌다

아무도 나의 인적사항을 묻지 않아
바람벽에 단 한번도 사용하지 않은 가명으로
숙박계를 적어 놓는다

수상한 냄새들이 부유하는 방 안
밤새 알을 슬어 놓을

여자를 부를까 하다 그만둔다

초저녁 꿈 내 몸에서 날아오른 나비 한 마리
나를 호명하며 창문 밖으로 날아갔다

괘종시계가 밤새 검은 물레를 돌렸지만
초저녁에 떠난 나비는
아침이 되어도 돌아오지 않았다

나비축제가 열리는 엑스포 중앙무대
나의 흰나비는 환한
햇빛 속에서 노랑나비들과 난교 중에 있다

달맞이꽃

유월 초하루 까치내 가는 천변
달맞이꽃이 지천이다
변두리 버려진 땅만 찾아들어 피는 꽃

제 몸이 어두워지고서야
겨드랑이에서
꽃잎을 하나둘 꺼내 놓는다

푸른 달빛이 달맞이꽃의
씨방으로 몰려드는 밤

나도 한때는
청량리 588 버려진 땅만 찾아들어
꽃을 피운 적이 있다

외딴집

당하리에서 감나무골 가는 길
무덤이 오래전부터 키우는 집이 있다

저를 허물기 위해 무릎을 꿇은 집
대낮에도 검은 어둠이 흘러나온다

깨진 창문으로 바라본 울안의 풍경 모두
목이 잘려 있거나 허리가 꺾여 있다

누군가 울안의 풍경을
울 밖으로 끄집어내기 위해
돌을 던져 유리창을 깨버린 것

밤마다 아이 웃음소리가 들리고
사금파리가 하얗게 눈을 뜨고 있다는 집

어릴 적 육손이 아저씨가 아내 잃고

자식 잃고 자신까지 버린 집이다

배다리 가는 길

도원역 지나 배다리 헌책방 골목
가는 길 창영교회 앞에서 비를 만났다

담벼락에 그려진 벽화 속
철수와 영희가 빗속을 뛰어가고 있다

낙원 떡방앗간 옥상 빨랫줄
미처 걷지 못한 빨래가 비를 맞고 있다

송림이발소 처마 밑 러닝셔츠를 입은 사내가
담배를 피우며 구름과자를 만들고 있다

빗속으로 번지는 담배연기
멀리서 개 짖는 소리 들린다

점점 어두워지는 한낮
개코 막걸리 집에서 낮술하다

바라본 골목길이 빗소리로 가득하다

신도, 시도, 모도

영종도 삼목선착장에서 배 타고
십 분이면 와 닿는 섬
신도, 시도, 모도, 삼형제 섬

신도선착장 옆
평생 바다의 속살을 파먹다 죽은
폐선 엉치뼈에 저녁노을이 앉아 있다

모든 길의 시작이기도 하고 끝이기도 한
선착장 파도소리만 한 질씩
제 몸을 키워내고 있다

바다로 나갔던 사람들이
저녁 바다를 끌어다
마을회관 앞마당에 매어 놓는 저녁

삼목선착장행 막배가 떠나고 나면

섬은 모든 바닷길을 지우며
스스로 저녁 바다에 유폐된다

수억 년 전 서해바다가
밤새 산통을 앓다 낳았다는 섬
신도, 시도, 모도,

밤이 되면 저녁 바다의
젖을 물고 잠드는 버릇이 있다

을왕리로 가자

사는 게 먹먹해져 밑바닥처럼
타락하고 싶은 날이면 우리
공항철도 타고 을왕리 바닷가로 가자

푸른 하늘에 떠있는 낮달 바라보며
지금까지 끌고 온 길
밑줄 치며 삭제해보자

파도소리보다 먼저 와 우리를 염탐하고
돌아가는 바람의 뒤통수에
힘껏 고함을 질러보자

지난날의 패배 미래에 대한 두려움
모두 저 푸른 바다에 수장시키자

한 발자국도 앞으로 나갈 수 없는
절망의 날을 만날 때

공항철도 타고 을왕리 바닷가로 가자
푸른 바다에 우리를 맘껏 버리고 오자

도량석 道場釋

새벽 4시 용화사
스님의 목탁소리 따라 대웅전
앞마당을 돌고 있는 고무신 한 켤레

천 개의 달이 뜨고 진다는 연못
달빛은 없고 새벽 종소리만
검은 연못을 건너가고 있다

천 년을 헤엄쳐도 대웅전 처마 끝이 전부인
청동물고기 한 마리
동쪽 하늘을 헤엄쳐 가고 있다

앞산 이마가 환해지는데
새벽 종소리를 따라간
내 귀는 아직 돌아오지 않았다

지천리 1

비 내린다
서당골에도 고무래봉에도
비 내린다
뒷산 고조할아버지 산소에도
큰집 함석지붕에도
비 내린다
마른 옥수숫대에 떨어지는 빗소리
갈 빛의 가을 내음이 난다
비 내린다
엄니 생시生時처럼
청무 밭에 온종일
비 내린다

지천리 2

아버지 엄니 산소가 있는 고향땅 지천리*
감나무에 기대어 서서
산그늘 내려오는 도장골을 바라본다

여름 강가에 내리던 빗소리
마당에서 수제비를 먹다 바라본 밤하늘의 별빛
싸락눈 내리던 초겨울의 마당귀

중풍 걸린 엄니의 어눌한 지청구며
가난했던 가족들의 입성을 생각한다

푸른 강물에 반쯤 발목을 담그고 있는 지천마을
바람소리가 전해주는
비루했던 날들의 검은 전언을 듣는다

풀 한 포기 꽃을 밭떼기 하나 없는 고향
낯선 이들도 많이 늘어나

고향 같지 않은 고향이 되어버렸다

지천리 3

조상대대로 칠갑산 옆구리를
이가 시리도록 빨아먹고 사는 마을

가리점과 윗말을 지나 안뜸에 이르면
시냇물이 갈지자로 흐르는
까치내가 있다

물위에 한 발 한 발
도장을 찍으며 건너는 마을
이가 듬성듬성 빠진 채 치통을 앓고 있다

온 산을 흔들며 산비탈을 오르는
경운기 목멘 소리에
까치내가 시퍼렇게 멍이 들어 있다

아무리 일을 하여도 허리띠를 졸라매도
가난을 껴안고 살던 남루한 마을

윗말 신작로가 어둑해져도

황새기젓 사러

청양장에 간 엄니는 아직 돌아오지 않았다

월미산 가는 길

봄 바다를 구경나온 사람들이 끌고 온 길이
월미도 선창가에 매여 있다

길의 매듭을 풀고 먼 바다로
봄마중 나가는 고깃배가 보인다

횟집 후문 한 여자가
봄볕에 노출된 채 서 있다
여자의 그림자를 끌고 있는 사내

사람들이 디스코팡팡 놀이기구에
잠시 한눈을 파는 사이
쉘부르모텔 목련꽃 속으로 사라진 사내

바이킹을 타던 여자들이 외마디
비명을 질러도 목련꽃 속으로 사라진 사내는
좀처럼 돌아오지를 않았다

월미산 오르는 길 세상물정도 모른 채
꽃잎을 연 어린 명자나무 아랫도리가 붉다

뻐꾸기 울다

저녁나절 도장골에서 뻐꾸기 울음소리가
들려왔다 여름 내내 울고도 아직도
다 울지 못한 울음이 남아 있는 모양이다

어머니 돌아가신 후
한번도 흠뻑 울어본 적이 없다

오늘처럼 비가 내리고 뻐꾸기 우는 날이면
없는 슬픔이라도 만들어 실컷 울고 싶다

뻐꾸기 울음소리를 강 건너 산사람들과
공유하는 저녁 나는 한 마리
뻐꾹새가 되어 어두워져간다

뻐꾹, 뻐꾹, 뻐꾹,
뻐꾸기 울음소리가 검은 비에 젖고 있다

꽃무늬 팬티

가을날 오후 빨랫줄에
아내의 낡은 팬티가 걸려 있다
언제부터인지 아내의 팬티에 꽃들이 사라졌다

더는 꽃 피울 수 없는 계절로 들어섰는지
나비 한 마리 날아들지 않는다

부끄러울 것이 없다는 듯
감출 것이 없다는 듯

빤한 얼굴로 나를
내려다보고 있는 민낯의 내숭

예쁜 꽃무늬 팬티로 꽃단장 해주고 싶다

제4부

봉순이

지금 내 곁에서 마른 빨래를 개고 있는
새 봉鳳 자에 순할 순順 자의 봉순이

처妻 할아버지가 새 중의 새가 되라고
높은 뜻으로 지었다는 이름

아내는 봉순이라는 이름이 천변에
널려 있는 개똥같이
천한 이름이라며 불평을 한다

봉순이라는 이름으로 한번도
푸른 하늘을 날 수 없었던 아내

지금이라도 예쁜 이름으로 개명해
또 다른 이름으로 살고 싶다고 한다

친구가 되어 서로의 이름을

불러보는 저녁
턱을 고이고 듣는 빗소리가 아프다

엄니

빨랫줄에 이불 홑청 빨아 널고 한숨
푹 자고 오겠다던 엄니
장곡사 주지스님이
몇 번 바뀌어도 돌아오지를 않았다

엄니 몸에 꼬리가 자라나
개가 되어 돌아왔다는 풍문과

겨드랑이에 날개가 돋아
새가 되어 집 앞 감나무에
앉아 갔다는 소문이 들려 왔다

부처를 부르지 않으면
지나갈 수 없는 어둠의 시간
백팔염주를 돌리며 관세음보살을
연호하는 저녁이면

엄니는 어릴 적 죽은 누이동생을 데리고
꿈속으로 들어와
새벽녘까지 머물다 갔다

엄니는 장곡사 관음전에서 잠깐
내려왔다 올라가신
관세음보살이었던 것이다

작은 뼈

가을 햇빛 내리는 서당골
작은 뼈 하나가
망개나무 밑에서 몸을 말리고 있다

얼마나 많은 어둠을 버리고서야
겹겹이 쌓인 지층을 걸어 나왔을까

얼마나 많은 날을 비우고서야
텅 빈 울림통이 되었을까

바람 불 때마다 스스로를
무너트리고 있는 작은 뼈

산 아래 마을에서 아이 찾는
울음소리가 들려오고 있다

수세기 전 죽은 어미의 목소리이다

까치집 짓다

이른 아침 집 앞 느티나무가 부산하다
올봄 제금난 까치부부가
새집을 짓고 있는 모양이다

까치가 집을 지을 때는
바람의 속도와 빛의 방향 나뭇가지가 흔들리는
각도를 측량해 설계를 했을 것이다

달빛 내리는 밤하늘의 부피와 아침이슬의
미세한 무게까지도 계산했을 것이다

하늘을 뚝딱 다듬어 주춧돌을 놓을 것이다
허공에 기둥을 세우고 새털구름으로
이엉을 엮어 지붕을 만들 것이다

빗물이 흘러가는 배수로의 높낮이도 맞추고
꿈 많은 아이들을 위해

밤하늘 별빛으로 도배를 할 것이다

평생 토건족으로 살았지만 무주택자였던
아버지가 수없이 짓다 허문 까치집
아버지 이름 석 자 새긴 문패 하나 달아주고 싶다

교외별전敎外別傳

이심전심以心傳心 환하게 피어나는 봄
불립문자不立文字 교외별전敎外別傳* 으로
너에게 가고 싶다

네 몸 가득 돋아나는 푸른 음계에
나의 굿거리장단을 얹어
한바탕 사랑가라도 부르고 싶다

허공 가득 꽃잎 풀어 놓고
아직도 묵언 중인 너

너를 해害하려 오는 꽃바람
십 리 밖에서
수수꽃다리와 대치 중에 있다

---

* 문자를 세우지 않고 마음과 마음으로 전하는 부처의 가르침.

꽃구경

야생화 축제가 열리는 왕길동
드림파크로 아내와 함께 꽃구경을 왔다

봄 소풍 나온 샛별유치원 개나리반
아이들이 노란 꽃이 되어
꽃길을 걸어가고 있다

꽃대궁만 남은 노인 몇이 그늘막에 앉아
지나가는 아이들을 바라보고 있다

함박꽃 속으로 손을 잡고 들어간
젊은 연인은 꽃잠을 자는지
좀처럼 나오지를 않는다

벌이 되거나 나비가 되어 난분분하는
꽃보다 사람이 많은 축제

꽃밥을 고봉으로 퍼먹고 꽃이 되어

돌아가는 사람들 오늘 밤 그대들의 씨방에

꽃씨 몇 개 떨어져 내리겠다

수련

꽃단장하고 있는 아침 연못
사방이 꽃잎 여는 소리로 분주하다

소금쟁이가 그려내는 동그라미 속으로
하얀 낮달이 내려와 있다

물뱀이 지나갈 때 수면 위에 잠시
소름이 돋아났을 뿐
연못은 잠잠하다

건너편에서
하얀 손을 흔들고 있는 너
나는 너에게 가고 싶지만 갈 수가 없다

벌 한 마리 잠시 다녀갔을 뿐인데
아랫도리가 화끈거리고 쓰라리다

내가 사랑에 빠진 게 분명하다

뚝방길

늦가을 오후 금방이라도 울음을
쏟을 것 같은 구름을 싣고
뚝방길을 달린다

자전거 체인에
사르르 감겨오는 뚝방길
풀밭에서 책갈피 넘기는 소리가 들린다

누군가 부지런히
가을을 읽고 있는 중이다

마른 풀잎에 빗방울 떨어지는 소리 들린다
뚝방길에 점점 쌓여가는 빗소리

유현사거리에서 자전거 체인에
감긴 뚝방길을 풀어준다

어둠 내리는 거리 자전거 짐받이에
가을비가 가득 실려 있다

상강霜降

비 갠 오후 돌담을 타고 오르는
담쟁이넝쿨에 저녁 햇살이 앉아 있다

호두나무에 거미줄 처져 있고
저녁 하늘을 한 땀 한 땀 건너가는
왕거미가 보인다

채마밭 배추벌레 허리 펴고 지는 해와
흑염소 뿔에 걸린 낮달을
바라보고 있다

툇마루에 앉아
담배를 피우시는 늙은 아버지의
기침소리가 좀처럼 그치지 않는다

저녁 하늘을 까맣게 물들이는
까마귀 울음소리

상강이 얼마 남지 않았다

초겨울

물꼬에 살얼음 얼어 있고
논두렁에 흰 서리 내린 아침

푸른 하늘에 하얀 초승달 떠있고
그 밑을 지나가는
비행기소리 아득히 들린다

억새풀 흔드는 바람소리
댕댕이덩굴 속으로 날아드는 참새 떼

이웃집 영희네 집에서 쌀 씻는
소리가 뽀얗게 들린다

집 나가 혼자 사는 아들의
아침식사가 궁금해지는 아침

뜨끈한 뭇국에

쌀밥 한 그릇 말아주고 싶다

폭설

눈 내린다 실비식당 뒷마당
개밥그릇 덮으며 눈 내린다

인천역 화물열차의
검은 지붕 위에 하얀 눈 내린다

바다로 나가는 북성포구길
마저 지우며 인천항 8부두에
함박눈 내린다

하늘과 땅 사이 너와 나 사이
모든 경계를 지우며 온종일 눈 내린다

사람이 길을 버리고
길이 사람을 버리는 저녁

흰 눈을 고봉으로 퍼먹은 저녁이

하얗게 어두워지고 있다

인사의 기원

아내가 쇠고깃국에
밥 말아 먹다 말고 돌아앉아
혼자 사는 아들에게 전화를 한다

제때에 끼니는 챙겨 먹고 사는지
배는 곯고 있지 않는지
걱정되는 모양이다

어릴 적 동네어른 만나면
진지 드셨느냐며 예절을 갖추어
문안인사를 드리곤 했다

인사의 기원은 먹고 사는
안부부터 물어보는 것

지천리 사는 형님께 저녁식사는 들었는지
거기에도 싸락눈 싸락싸락 내리는지

전화라도 한 통 넣어야겠다

바람과 함께 사라지다

방금 동인천역에서 내 옆을 스쳐간 아이
어디서 만났을까
낯이 익은 얼굴이다

지난밤 인천행 전철에서
내 어깨에 몸을 기대어 온 아이일까

전생前生에 내 딸이었던 아이일까
아니면 다음 생生에
내 딸이 되어 돌아올 아이일까

손이라도 한번 잡아보고
예쁜 머리핀이라도 사주고 싶은 아이

악기점 유리창에 비친 가을 풍광에
잠시 한눈을 파는 사이

아이는 가을 햇볕 속으로
바람과 함께 사라져버렸다

삼강옥

동인천 배다리 부근 삼강옥에서
늦은 점심으로 설렁탕을 먹고 있다

많은 이의 이빨자국이 그어진 숟가락이
낯선 사람의 지문을 끌고
입속으로 들어왔다

목구멍 속으로 고기국물을 퍼 나르다
울컥 올라오는 설움에
숟가락을 물고 울었던 사람도 있었을 것

먹고 사는 일에도
저마다의 아픔을 남기는 법

삼강옥 현관 신발장 생채기 난 길을 끌고 온
신발들의 문수가 어지럽게 놓여 있다
신발들의 상처 또한 깊다

춘래불사춘 春來不似春

삼월 초이레 월미산 입구
화살나무 시위는 팽팽하게 당겨져 있고
목련나무는 묵묵부답 꽃소식이 없다

제 스스로 죄인이 되어 울타리를
쳐 놓고 징역살이를 하고 있는
왕벚나무의 얼굴이 검다

작년 봄 월미산 벚꽃 속으로 사라진
애인은 아직 돌아오지 않았다

소름 돋는 월미도 앞바다
영종도행 배를 기다리는 사람들
입술이 파랗다

춘래불사춘 春來不似春이다

길 위의 시인이 부박한 세상과 교감하는 법

문계봉(시인)

이권 시인은 30여 년간 철도노동자로 일하다 퇴직한 노동자 출신 시인이다. 그래서 그런지 그의 시에는 달리는 기차처럼 어디론가 떠나고, 머물고, 바라보는 이미지들이 자주 등장한다. 길(철로) 위에서 보낸 세월이 그의 시에 일정한 자양이 되고 있다는 증거라고 할 수 있다. 하지만 이제는 퇴직해 더는 길 위를 달릴 수 없게 된 시인은 시를 통해 다시 길 위의 삶들을 이어가고 있는 중이다. 따라서 그의 시 속에는 길 위에서 만난 많은 사람들이 등장하고 일부러 찾아든 장소와 상황들이 파노라마처럼 펼쳐진다. 그리고 길 위에서의 시인의 시선은 흡사 카메라렌즈와 같다. 그 렌즈로 담아내는 현실의 모습들이 얼마나 핍진한지 독자들은 마치 자신이 그 길을 가고 있다고 착각할

정도의 추체험을 경험하게 되는 것이다. 시인의 페르소나
일 게 분명한 시적 화자의 행보를 따라가다 보면 독자들도
그가 만난 세상과 사람들, 그리고 주변 사물들과의 의미
있는 만남을 경험해 볼 수 있을 것이다.

도원역 지나 배다리 헌책방 골목
가는 길 창영교회 앞에서 비를 만났다

담벼락에 그려진 벽화 속
철수와 영희가 빗속을 뛰어가고 있다

낙원 떡방앗간 옥상 빨랫줄
미처 걷지 못한 빨래가 비를 맞고 있다

송림이발소 처마 밑 러닝셔츠를 입은 사내가
담배를 피우며 구름과자를 만들고 있다

빗속으로 번지는 담배연기
멀리서 개 짖는 소리 들린다

점점 어두워지는 한낮
개코 막걸리 집에서 낮술하다

바라본 골목길이 빗소리로 가득하다

—「배다리 가는 길」 전문

　도시의 외진 막걸리 집에서 낮술을 마시는 시인의 모습
이 다소 쓸쓸하게 형상화된 이 시도 그렇거니와 그는 늘
어딘가를 향해서 길을 가고 있다. 부박한 현실과 고단한
일상에 속박되는 것을 철도노동자였던 시인의 전사前史와
성정은 용납하지 못했던 것일까. 그래서 그의 시들 중에는
어디어디로 '가는 길'이란 제목의 시들과 구체적 지명이
등장하는 시들이 유난히 많다. 위에서 언급한 「배다리
가는 길」 이외에도 「삼강옥」 「구월동 로데오거리」 「월미
산 가는 길」 「뚝방길」 등이 바로 시인의 부지런한 도정道程
을 형상화한 시들인바, 도시의 산책자가 된 시인은 그 과정
에서 만나는 사람들과 공간, 그리고 사물들에 대해 연민을
드러내거나 장년의 욕망과 관능적 상상을 드러내기도 하
고, 세태에 대한 비판을 드러내기도 한다. 다시 말해서
그의 시는 걸어가면서(혹은 무언가를 타고 가거나) 욕망하
고, 만나면서 연민하며, 보고 만지면서 탄식하게 되는,
그야말로 하나의 살아 있는 유기체처럼 생명력을 획득하게
되는 것이다. 고여 있는 삶 속에서는 결코 획득하지 못할
다양한 경험들을 시인은 '길을 가는 과정'에서 체험하고
있는 것이다.

그리고 그의 여정은 "늦가을 오후 금방이라도 울음을/쏟을 것 같은 구름을 싣고/뚝방길을 달린다//자전거 체인에/사르르 감겨오는 뚝방길/풀밭에서 책갈피 넘기는 소리가 들린다"에서처럼 자전거를 타고 달리기도 하며, "사는 게 먹먹해져 밑바닥처럼/타락하고 싶은 날이면 우리/공항철도 타고 을왕리 바닷가로 가자"(「을왕리로 가자」)에처럼 공항철도를 타며 이루어지기도 한다. 타고 걷고 쉬다가 다시 걷고 타고 이동하는 도시의 노마드nomad이자 산책자인 시인의 여정을 따라가면서 독자들 역시 시인과 함께 보고 듣고 느낀 것들을 추체험하게 되는 것이다. 초원의 노마드들과 시인의 다른 점이 있다면 전자가 환경에서 기인하는 현실적 요인에 의해 강제된 여정이라면 시인의 경우는 자발적 의지와 본능적 욕망에서 기인한 여정이라는 점일 것이다.

위에서도 잠깐 언급했던 것처럼 그의 시 세계를 특징짓는 하나의 키워드는 바로 사람과 사물에 대한 '연민'이다. 작고 소박한 사물이나 소외되고 그늘진 사람에게 연민을 느끼는 것은 측은지심을 품고 있는 범인凡人의 상정常情일 것이다. 하물며 누구보다 섬세하고 풍부한 감성의 소유자인 시인의 시심이라면 말해 무엇 하겠는가. 다만 그의 연민이 단순한 동정과 다른 점이 있다면 해당 인물의 마음에까지 자신의 감정을 깊숙이 이입시키고 있다는 점이다. 그래서 그의 연민은 독자들의 공감을 획득하게 되고 더욱 커다란 울림으로 다가오는 것이다. "방금 동인천역에서 내 옆을 스쳐간 아이/어디서 만났을까/낯이 익은 얼굴이다//손이라도 한번 잡아보고/예쁜 머리핀이라도 사주고 싶은 아이(「바람과 함께 사라지다」)"에서처럼 잠시 스쳐간 이름 모를 소녀를 떠올리며 "머리핀이라도 사주고 싶은" 마음을 느끼기도 하고, 다음에 소개되는 시처럼 눈물을 흘리고 싶어 하기도 한다.

저물녘 동인천 양키시장 모퉁이
맨발에 슬리퍼를 신은 여자가 울고 있다

그녀의 몸이 얼마나
허술하게 봉인되어 있는지
입과 코에서 연신 울음이 새어나온다

그녀의 울음에
훌쩍훌쩍 파도를 타고 있는 골목
점점 침몰해가고 있다

가끔씩 슬픔을 길어 올려야
또 다른 삶을 마중 나갈 수 있는 것

한참을 울던 여자가 골목 끝을 짚고
일어서고 있다 골목 안의 울음을
주섬주섬 수습하며 돌아가고 있다

검게 그을린 하늘 한바탕
소나비라도 퍼부었으면 좋겠다

—「침몰하는 저녁」 전문

이유를 알 수 없지만 초라한 행색의 여인이 울고 있는
모습을 보면서 시인은 가눌 수 없는 감정의 북받침을 경험
하며 눈물을 머금고 있다. 그는 "가끔씩 슬픔을 길어 올려
야/또 다른 삶을 마중 나갈 수 있는 것"을 알기 때문일
것이다. 맨 마지막 연의 "검게 그을린 하늘"에서 내리는
'비'는 연민으로 북받친 감정을 달래줄, 감정해소 기제로서
의 눈물을 의미하는 객관적 상관물일 것이 분명하다. 그런
데 또 한 가지 우리가 주목할 것은 시인이 연민을 느끼는
대상이 직접 만나본 '사람들'에게만 국한되는 것이 아니라
는 것이다.

동인천 배다리 부근 삼강옥에서
늦은 점심으로 설렁탕을 먹고 있다

많은 이의 이빨자국이 그어진 숟가락이
낯선 사람의 지문을 끌고
입속으로 들어왔다

목구멍 속으로 고기국물을 퍼 나르다
울컥 올라오는 설움에
숟가락을 물고 울었던 사람도 있었을 것

먹고 사는 일에도
저마다의 아픔을 남기는 법

삼강옥 현관 신발장 생채기 난 길을 끌고 온
신발들의 문수가 어지럽게 놓여 있다
신발들의 상처 또한 깊다

—「삼강옥」전문

  배다리 근처 '삼강옥'이란 식당에서 늦은 점심을 먹고
있는 시인의 모습을 형상화한 이 시에서 우리가 주목해야
할 부분은 바로 3~5연이다. 뭇사람들과 숟가락을 공유하게

된 시인에게 그곳을 다녀간 손님들은 타인이면서 동시에
타인이 아닌 관계로 엮이게 된다. 매일 만나 함께 밥을
먹는 식구는 아니지만 먹는 도구인 숟가락을 공유함으로써
그 '낯선 지문'들은 낯설면서 낯설지 않은 식구가 되는
것이고, 그 얼굴을 모르는 익명의 식구들이 낸 이빨자국들
은 바로 그들의 삶의 흔적이자 아픔들인 것이다. 왜냐하면
"먹고 사는 일에도 저마다의" 생채기가 있기 때문이다.
그러면서 시인의 시선은 그들의 고단한 삶을 실어 나른
신발에게 향하게 되는데 여기서 시인은 "신발들의 상처가
깊다"고 말을 한다. 물론 이것은 신발 주인들의 삶의 고단함
을 말하고자 한 것이겠지만, 그의 연민의 시선은 이처럼
사람과 사물, 공간과 시간을 가리지 않고 전방위적으로
이루어지고 있다는 점은 매우 주목할 만한 점이 아닌가
한다.

영등포 타임스퀘어 뒷골목 밤만 되면
집집마다 붉은 꽃들이 피어나요
상호도 없이 예명으로 꽃을 내건 집

이곳에서의 소문은 모두가 지나가는
바람이에요 연대병력의 사내들이
지나갔다는 꽃들의 속설은 묻지 않기로 해요

꽃대궁이 흔들릴 때마다 새로운 애인이
생겨나요 잠시 후 꽃잎 속에서
걸어 나온 사내는
옛 애인이 되어 골목길로 추방당해요

밤에 피는 꽃이라고 향기 없는 꽃이라고
같은 꽃끼리 너무
미워하거나 슬퍼하지 마세요

꽃의 이동경로와 꽃잎에 깃든 꽃말이
다를 뿐 다 우리의 누이거나 딸들인걸요

어쩌면 이 세상 가장 낮은 곳으로
내려온 화엄의 꽃
관세음보살일지도 모르는 일이지요

—「화엄의 꽃」 전문

인간에 대한 그의 연민이 궁극으로 지향하는 지점이
어디인가를 잘 보여주고 있는 시가 바로 「화엄의 꽃」이다.
이 시에서 시인은 "밤에 피는 꽃" 윤락여성의 삶을 언급하면
서 그녀들을 "화엄의 꽃" "관세음보살"일지도 모른다고

생각한다. 세상 사람들로부터 손가락질 받지만 그녀들도 나름의 꿈이 있는 존재들일 것이 분명하기 때문에 시인은, 세상에게는 (그녀들을) 무시하지 말라 요구를 하고 그녀들에게는 슬퍼하지 말라는 위로의 말을 전하고 있다. 그리고 시인은 더 나아가 인간을 구원해줄 구원자로서의 이미지(관세음보살)로 그녀들을 격상하기까지 하는데, 미학적으로도 절창인 이 시는 대상에 대한 시인의 연민이 단순한 동정을 넘어서서 해당 인물, 더 나아가 인간의 근원적 존엄성의 차원까지 그 지평이 확대되고 있다는 것을 확인할 수 있는 것이다.

인간과 사물에 대한 연민의 감정을 품은 시인에게 자본과 물리적 힘이 지배하는 물신화된 현대사회의 부정적인 면들은 결코 받아들이기에 쉽지 않은 일이었을 것이다. 시인이란 바로 상상의 힘을 통해 그 모든 반문화, 비인간적 요소들과 투쟁을 벌이는 존재들이기 때문이다.

검은 새의 묘기에
박수를 치고 환호를 보낼 때마다
시리아 락까에서는
죄 없는 아이와 엄마들이 죽어나가요

핏빛으로 물드는 석양

누가 저 검은 새의 심장을 명중시킬 수 있는

새총 하나 갖다줄 수 없나요

—「검은 새」 부분

미국 전투기를 "검은 새"에 비유한 것이라 여겨지는
이 시에서 시인은 애꿎은 희생자를 양산하는 전쟁에 대해
노골적인 적개심을 드러내고 있다. 시의 말미에서 그가
요구하는 "새총"은 약소국의 민중 혹은 이 땅의 모든 소수자
들의 저항의지를 비유적으로 표현한 말일 것이다.

가정오거리 뉴타운 재개발 지역

사람들이 집을 버리고 마을을 떠나자

골목은 길을 버리고

하늘채아파트로 들어가 엘리베이터가 되었고

(……)

아빠는 아예 술집에 발목을 심었고

엄마는 카바레에 뿌리를 내렸다

다 마당과 골목을

하늘채아파트에 빼앗긴 탓이다

—「주객전도」 부분

이 시에서는 재개발 과정에서 상실한 인간의 본원적인 삶의 터전을 이야기하고 있다. 정작 주인이어야 할 것들은 버림받거나 사라지고 '객'들이 그 자리를 대신하는 현상을 적절한 비유를 통해서 형상화한 이 시에서 시인은 이제라도 '마당과 골목'을 되찾아야 온전한 삶의 모습을 회복할 수 있다고 독자들을 향해 강변하는 것이다. 아마도 이런 시대란 "할머니 장례"조차 "화장장과 공원묘지를 / 한데 묶은 패키지 상품"이고 "92년간의 할머니 생"조차 "단 3일 만에 지워"(「죽음이 예전 같지 않다」)질 수밖에 없는 비정한 세계일 것이다. 그러한 세계에서는 결코 일어나서는 안 될 참혹한 일들이 벌어지기도 한다.

또다시 봄이 왔지만 바다로 간

아이들은 돌아오지 않았다

바람이 되어 돌아오거나

꽃이 되어 돌아왔다

바람이 된 아이야 꽃이 된 아이야
수억만 년이 지나도
잊히지 않을 아이야

너희를 구하러 광화문광장으로
모여든 수백만의 사람들

진도 앞바다의
바닷물을 죄다 퍼 올리는 중이다

—「또다시 봄」 전문

　세월호의 아픔은 여전히 현재진행형인 아픔이다. 결코
지워지지 않는 상처다. 그 상처와 아픔들을 잊지 않고 기억
해야 하는 것은 살아 있는 이들의 최소한의 예의이자 의무
인 것이다. 하지만 부도덕한 정권은 진실을 밝히기보다는
은폐하고 호도하고 거짓말만 일삼아 왔고 그러한 부조리들
에 대한 항거로서 진행된 것이 촛불집회였다. 권력은 "세월
호는 이제 그만 잊자고"(「그날 이후」) 부추기지만 시인에
게 그것은 말도 안 되는 소리일 뿐이며 "진도 앞바다의
바닷물을" 모두 퍼 올리게 되더라도 그것은 결코 잊을
수도 없고 잊어서는 안 되는 슬픔으로 다가오는 것이다.

시인은 늘 관능적 사랑을 꿈꾼다. 사랑스런 아내와 자식이 있는, 번듯한 가정의 가장인 그에게 그러한 관능적 사랑에 대한 욕망은 실현 불가능한 꿈에 불과할지도 모른다. 하지만 그럼에도 불구하고 그는 여전히 사랑을 욕망한다. 물론 시인에게 그것은 속칭 불륜의 사랑을 지칭하는 '바람난 것' 하고는 차원이 다른 것이다. 그것은 인간 본연의 욕망인 동시에 늙어가고 있다는 것에 대한 반작용이며 무미건조한 일상에서 꾸는 "꽃꿈"이기 때문이다.

그러나 꿈과 현실은 엄연히 다르기 때문에 그의 욕망은 종종 판타지적 성격을 필연적으로 띨 수밖에 없다. 물론 시인은 자신의 성애性愛에 대한 욕망의 이력을 숨기지 않고 "푸른 달빛이 달맞이꽃의/씨방으로 몰려드는 밤//나도 한때는/청량리 588 버려진 땅만 찾아들어/꽃을 피운 적이 있다"(「달맞이꽃」)고 담담하게 고백하기까지 한다. 하필 버려진 땅만 찾아들었던 이유는 서두에서 밝힌 바 있는, 대상에 대한 연민과 무관하지 않을 것이다.

　　건너편에서
　　하얀 손을 흔들고 있는 너
　　나는 너에게 가고 싶지만 갈 수가 없다

벌 한 마리 잠시 다녀갔을 뿐인데
아랫도리가 화끈거리고 쓰라리다

내가 사랑에 빠진 게 분명하다

—「수련」 부분

　연못 건너편에서 나에게 손을 흔들고 있는 '너'는 구체적
인 대상을 지칭한다기보다는 관념 속에서 조형된 이상적인
여인을 의미하는 것일 게다. '나'는 그녀에게 가고 싶지만
갈 수가 없다. 사실 상상 속에서 못할 것이 뭐가 있겠는가.
하지만 "가고 싶지만 갈 수가 없다"라는 불가항력적 표현을
쓸 수밖에 없는 것은 그의 도덕적 관념이 아직은 완고하게
내면에서 작동하고 있다는 증거라고 생각된다. 그럼에도
불구하고 "아랫도리가" "화끈거리고 쓰라리다"라고 말한
것은 상상 속에서지만 그 사랑을 감각적으로 느끼고 싶어
하는 시적 화자의 욕망이 투영된 것이라 볼 수 있다. 그러면
서 그는 스스로 선언한다. "내가 사랑에 빠진 게 분명하다"
고.

어젯밤 꿈속 꽃그늘 아래에서
한 소녀에게 사랑을 고백했었다

사랑은 함부로 하는 게 아니라며
첫사랑을 죽여야
또 다른 사랑을 할 수 있다며

꿈속에서 나를 목 졸라 죽인 소녀
꿈결처럼 내 곁을 지나가고 있다

꿈 밖으로 걸어 나온
소녀의 정체가 궁금하다

—「꽃꿈을 꾸다」 부분

　이 시에서 그는 사랑을 고백한 소녀로부터 죽임을 당한
다. 사랑은 함부로 하는 게 아니라고 주장하는 소녀는 "첫사
랑을 죽여야/또 다른 사랑을 할 수 있다며" 시적 화자의
목을 조른 것이다. 목을 졸리는 상황이었지만 그녀의 손길
이 목에 닿았을 때 꿈속의 시인은 쾌감을 느꼈을 게 틀림없
다. 멀리서 지켜보거나 스치고 지나가는 모습을 본 것이
아니라 '그녀의 손길'이 구체적으로 내 몸에 닿았기 때문이
다. 하지만 꿈속의 그녀가 꿈 밖으로 나왔을 때는 사정이
달라진다. 다시 또 소녀의 정체는 궁금해질 수밖에 없기
때문이다. 어차피 이루어질 수 없는 사랑이라는 것을 시인
은 알고 있다. 알면서도 욕망한 사랑 앞에서 어떻게 첫사랑

을 잊을 수 있겠는가.

한 마리 나비가 되어 어디론가
훨훨 떠나버리고 싶은 봄날
나비축제가 열린다는 함평행 기차를 탄다

함평역에 내려 많은 사람들이
허물을 벗고 간 여인숙에
그동안 끌고 온 나를 부려 놓는다

복도 끝 마지막 방이 오늘 밤
나의 묘지 이곳에 내 혼백을 눕힌다

아무도 나의 인적사항을 묻지 않아
바람벽에 단 한번도 사용하지 않은 가명으로
숙박계를 적어 놓는다

수상한 냄새들이 부유하는 방 안
밤새 알을 슬어 놓을
여자를 부를까 하다 그만둔다

초저녁 꿈 내 몸에서 날아오른 나비 한 마리

나를 호명하며 창문 밖으로 날아갔다

괘종시계가 밤새 검은 물레를 돌렸지만
초저녁에 떠난 나비는
아침이 되어도 돌아오지 않았다

나비축제가 열리는 엑스포 중앙무대
나의 흰나비는 환한
햇빛 속에서 노랑나비들과 난교 중에 있다

—「나비의 꿈」 전문

현실에서의 불가항력과 일상의 무미건조함을 윤색하는, 판타지로서 기능하는 그의 상상 속 욕망과 사랑에의 지향은 시 「나비의 꿈」에서도 핍진하게 드러난다. 하룻밤 잠자리 상대로 여자를 부를까 생각했지만 결국 포기하는 행위도 그렇고, 마지막 연에서 내 욕망이 투영된 소재인 흰나비와 노랑나비들의 난교 장면을 통해 자신의 욕망을 환상적으로 처리하는 것도 모두 그의 마음속에서 작동하는 무의식적 방어기제 때문이라고 짐작된다. 다만 그가 현실적 도덕률 의 범주를 용인하며 그나마 용기를 낼 수 있었던 것이라면, 환한 햇빛 속에서 대담하게 이루어지는 한낮의 집단 '난교' 장면을 상상하는 일이었을 것이다.

그의 시에서는 기후와 절기節氣에 대한 이미지들이 자주 등장한다. 예를 들어 비 내리는 날의 정서를 노래한 「지천리 1」「지천리 2」와 「폭설」 등의 시가 그에 해당하는데, 이러한 작품들 속에서 비, 눈, 바람 등의 자연현상과 절기는 시인의 예민한 감성의 현을 건드려 인간 본연의 애상적 정서를 드러내게 하는 매개가 되고 끝내는 부모를 포함한 가계家系에 대한 그리움을 환기시키는 작용을 한다.

비 내린다

서당골에도 고무래봉에도

비 내린다

뒷산 고조할아버지 산소에도

큰집 함석지붕에도

비 내린다

마른 옥수숫대에 떨어지는 빗소리

갈 빛의 가을 내음이 난다

비 내린다

엄니 생시生時처럼

청무 밭에 온종일

비 내린다

—「지천리 1」 전문

어머니 돌아가신 후
한번도 흠뻑 울어본 적이 없다

오늘처럼 비가 내리고 뻐꾸기 우는 날이면
없는 슬픔이라도 만들어 실컷 울고 싶다
                              —「뻐꾸기 울다」 부분

빨랫줄에 이불 홑청 빨아 널고 한숨
푹 자고 오겠다던 엄니
장곡사 주지스님이
몇 번 바뀌어도 돌아오지를 않았다

엄니 몸에 꼬리가 자라나
개가 되어 돌아왔다는 풍문과

겨드랑이에 날개가 돋아
새가 되어 집 앞 감나무에
앉아 갔다는 소문이 들려 왔다

부처를 부르지 않으면
지나갈 수 없는 어둠의 시간

백팔염주를 돌리며 관세음보살을

연호하는 저녁이면

엄니는 어릴 적 죽은 누이동생을 데리고

꿈속으로 들어와

새벽녘까지 머물다 갔다

엄니는 장곡사 관음전에서 잠깐

내려왔다 올라가신

관세음보살이었던 것이다

—「엄니」 전문

　모친에 대한 절절한 그리움을 노래한 「엄니」는 매우
정교하게 계산된 시적 짜임새를 갖추고 있는 시다. 결코
다시 돌아올 수 없는 곳으로 떠난 모친에 대한 그리움을
이동성이 빠른 '풍문'과 '소문'이라는 시어를 통해 표현한
것도 그렇고 시각과 청각의 교차를 통해서 그리움을 더욱
부각시키고 있는 점도 시인의 조어造語와 이미지 변주 능력
의 만만찮음을 확인할 수 있는 대목이라고 할 수 있다.
이외에도 집이 없던 아버지에게 까치집 문패라도 달아드리
고 싶다며 뒤늦게 부르는 사부곡思父曲인 「까치집 짓다」
역시 시인의 육친에 대한 그리움이 감동적으로 드러난

시라고 할 수 있다. 평생을 함께해 온 아내에 대한 연민과
사랑을 노래한 시편들도 큰 울림을 주고 있다.

가을날 오후 빨랫줄에
아내의 낡은 팬티가 걸려 있다
언제부터인지 아내의 팬티에 꽃들이 사라졌다

더는 꽃 피울 수 없는 계절로 들어섰는지
나비 한 마리 날아들지 않는다

부끄러울 것이 없다는 듯
감출 것이 없다는 듯

빤한 얼굴로 나를
내려다보고 있는 민낯의 내숭

예쁜 꽃무늬 팬티로 꽃단장 해주고 싶다

—「꽃무늬 팬티」 전문

빨랫줄에 걸려 있는 아내의 속옷을 바라보면서 이제는
더 이상 "꽃 피울 수 없는" 다시 말해서 여성만이 가지는
고귀하고 신성한 생명 잉태의 능력을 상실한 아내와 "부끄

러울 것"도 없고 "감출 것도 없"이 자신을 내려다보는
'그' 아내의 속옷을 보면서 다시금 "예쁜 꽃무늬로 꽃단장
해주고 싶다"며 평생을 함께해 온 아내에 대한 사랑과
연민을 노래하고 있다. 삶 속에서의 온갖 신산함을 함께
겪어온 평생의 반려, 아내에 대한 사랑의 송가가 아닐 수
없다.

지금 내 곁에서 마른 빨래를 개고 있는
새 봉鳳 자에 순할 순順 자의 봉순이

처妻 할아버지가 새 중의 새가 되라고
높은 뜻으로 지었다는 이름

아내는 봉순이라는 이름이 천변에
널려 있는 개똥같이
천한 이름이라며 불평을 한다

봉순이라는 이름으로 한번도
푸른 하늘을 날 수 없었던 아내

지금이라도 예쁜 이름으로 개명해
또 다른 이름으로 살고 싶다고 한다

친구가 되어 서로의 이름을

불러보는 저녁

턱을 고이고 듣는 빗소리가 아프다

—「봉순이」 전문

　시인 옆에서 빨래를 개고 있는 "새 鳳(봉) 자에 순할
順(순) 자의 봉순이"라는 이름을 가진 아내, 자신의 이름을
"천변에/널려 있는 개똥같이/천한 이름이라며 불평을"
하고, 그 이름으로 "한번도/푸른 하늘을 날 수 없었던
아내", "지금이라도 예쁜 이름으로 개명해/또 다른 이름으
로 살고 싶다"고 말하는 아내를 지켜보면서 시인은 "친구가
되어 서로의 이름을/불러보는 저녁/턱을 고이고 듣는
빗소리"가 "아프다"고 한다. 오랜 친구처럼 편안해진 관계
임에도 불구하고 느낄 수밖에 없는 '아픔'이라면 그것은
기실 평생 고생만 시킨 아내에 대한 남편으로서의 자책과
미안함 때문이기도 하고, 자신의 꿈을 온전히 펼치지 못한
채 '날지 못하는 삶'을 살아온 아내에 대한 연민 때문이라는
것은 두말할 필요가 없을 것이다.

　시 「초겨울」「아제아제 바라아제」「도량석」「꽃구경」
등은 그가 주객이 전도되고 갑들이 판치는 세상, 자본에

의해 모든 것들이 상품으로 인식되는 시끄럽고 부조리한 현실로부터 벗어나 조용히 침잠하고 싶어 하는 세계의 모습, 그리고 그 세계에 들고 싶은 바람을 노래한 시들이다. 귀가 순해진다는 이순耳順을 넘어선 나이에 그가 소망하는 세계가 그러해야 하는 것은 어쩌면 당연한 것인지도 모른다. 그는 충분히 노동했고 가족들을 위해 열심히 살아왔다. 고단할 법도 한데 그는 부당한 현실에 대해 여전히 귀를 열어놓은 채 비타협적인 질문을 던지고 있다.

새벽 4시 용화사
스님의 목탁소리 따라 대웅전
앞마당을 돌고 있는 고무신 한 켤레

천 개의 달이 뜨고 진다는 연못
달빛은 없고 새벽 종소리만
검은 연못을 건너가고 있다

천 년을 헤엄쳐도 대웅전 처마 끝이 전부인
청동물고기 한 마리
동쪽 하늘을 헤엄쳐 가고 있다

앞산 이마가 환해지는데

새벽 종소리를 따라간

내 귀는 아직 돌아오지 않았다

——「도량석道場釋」 전문

    위에 예를 든 시를 읽어 내려가다 보면 독자들 또한
고즈넉한 산사의 풍경 속에 앉아서 사찰의 종소리를 듣고
있는 것 같은 느낌을 받을 것이다. "새벽 종소리"가 덤으로
주어지고 그 "종소리를 따라간/내 귀는 아직 돌아오지
않았다"는, 세상과 격절된 산사에서 그는 어쩌면 돌아오고
싶지 않았을지도 모르겠다. 그런 의미에서 시끄러운 속세
의 소리들을 깨끗이 씻어내며 종소리를 따라간 그의 귀는
기실 그 자신의 마음에 다름 아닐 것이다.

    무릇 시인의 시 속에는 해당 시인의 구체적 삶이 일정하
게 반영되어 있는 법이다. 지금껏 살펴본 이권 시인의 시편
들 속에도 당연히 시인이 걸어온 삶의 이력들과 그가 지향
하는 세계의 모습들이 고스란히 담겨 있었다. 물론 필자의
과문과 주관적인 독법으로 말미암아 그의 시를 오독했을
가능성을 부정할 수는 없다. 그러나 함께 시를 쓰는 동업의
후배로서 나는 그의 시가 너무도 쉽게 읽혔고(가볍다는
의미가 결코 아니다) '펜 끝에 힘을 뺀' 그 평범하고 익숙한
시어들을 통해서 현실과 상황의 비범한 의미들을 읽어낸

것에 대해 한편으로 부러워했고 내심 감탄했음을 솔직하게 고백한다.

　현실에 대한 섣부른 간섭과 상황에 대한 지나친 낙관 혹은 비관은 그 속에 담긴 숨은 진실을 들춰내는 데 있어 한계를 가질 수밖에 없다. 왜냐하면 현실과 추억은 힘이 세기 때문이다. 힘센 현실과 과거의 추억은 명민한 시인을 끊임없이 자극하고 괴롭히고 때로는 고양시킨다. 이러한 현실에 대응하고 추억을 소환하기 위해서는 정공법만이 능사는 아니다. 현재 자신의 조건과 상황을 타산하지 않은 채 현실과 대결하거나 과거의 기억을 신파조로 환기하는 것은 무모하거나 감상적인 일일 수도 있기 때문이다.

　그런 의미에서 이권 시인이 현실과의 직접적인 대결을 선택하기보다는 소통을 가로막고 단절을 조장하는 비정한 현실과 일정한 거리를 두며 관찰자적 모드를 유지하는 것은 매우 효과적인 '시적 전술'이었다는 생각이 든다. 다만 현실에 대한 이러한 거리두기는 현실의 추수나 자조적인 모습으로 오인될 수도 있지만 이권 시인의 경우 때로는 연민으로 때로는 냉소로, 그러나 궁극에는 인간과 주변의 사물들에 대한 애정을 바탕으로 다채롭게 현실을 변주하기 때문에 그러한 우려는 기우일 거라는 생각이다.

이권 시인은 지난해 광화문 일대에서 진행되었던 촛불집회나 다양한 현장의 연대투쟁에도 거의 빠지지 않고 참석했다는 것을 주변 동료들은 알고 있다. 그는 여전히 구체적 현실 속에서, 부조리에 저항하는 국민들과 "함께"하는 삶을 살고자 하는 시인이다. 그러한 연대와 실천은 어쩌면 도시를 산책하는 산책자로서 피해갈 수 없는 삶일지도 모른다. 동시에 그는 특별할 것도 대단할 것도 없는 평범한 일상 속에서 관능적 사랑을 꿈꾸기도 하고 평생의 동반, 아내와의 소박하지만 애틋한 사랑을 나누며 살아가는 평범한 삶을 꿈꾸기도 한다. 사실 그 누군들 사랑하는 사람과의 평화로운 일상을 꿈꾸지 않는 사람이 있을까.

나는 시인의 그와 같은 꿈들을 응원하며 앞으로 더욱 다채롭고 유쾌한 여행을 계속해주길 소망한다. 치열하고도 고단한 현실과의 접점에서 더욱 아름다운 시의 꽃을 피워주길 바란다. 도시가 보여주는 다양한 모습과 표정들 속에서 더욱 연민하고, 싸우고, 사랑하는 산책자가 되어주길 바라는 것이다. 그러다 어느 날 문득 길 위에서 혹은 무리 속에서 나와 만나게 되었을 때 서로 말을 하지 않아도 눈빛으로 마음이 통해 가장 가까운 막걸리 집에서 편안하게 술잔을 나눌 수 있었으면 좋겠다. 그리고 그의 다채로운 여행의 기록이자 그 속에서 만난 사람과 사물과 공간에 대한 느낌의 표백일 것이 분명한, 그의 얼굴을 닮은 '착하고 순정한 시'를 자주 만날 수 있었으면 좋겠다.

  그렇다. 그는 지금도 사랑과 연민과 그리움을 가슴에 품고 새롭게 여행할 목적지를 꿈꾸는 도시의 산책자다.

꽃꿈을 꾸다

초판 1쇄 발행 2018년 06월 20일

지은이 이권
펴낸이 조기조
펴낸곳 도서출판 b

등록 2006년 7월 3일 제2006-000054호
주소 08772 서울시 관악구 난곡로 288 남진빌딩 302호
전화 02-6293-7070(대) 팩시밀리 02-6293-8080
홈페이지 b-book.co.kr 이메일 bbooks@naver.com

ISBN 979-11-87036-59-3   03810

값 10,000원